MADELEINE MICHAUX

GLADIATEURS
ET JEUX DU CIRQUE

10876233

LES ESSENTIELS MILAN JUNIOR

DERNIÈRES NOUVELLES

LES MEILLEURS ANIMAUX

L'importateur Claudius Africanus, dont tout le monde connaît l'excellente réputation, met à la disposition des organisateurs de spectacles et des mécènes des éléphants, des lions, des gazelles et des chevaux. Dernière nouveauté : les loups de Gaule, particulièrement forts et agressifs. ■

UN ÉVÉNEMENT SURPRENANT !

Hier après-midi, dans le grand amphithéâtre de Lugdunum, entre deux combats de gladiateurs, des hommes de la nouvelle secte des chrétiens étaient jetés aux lions parce qu'ils avaient refusé de faire des sacrifices à l'empereur et aux dieux. À la surprise générale, les lions ont épargné l'une des femmes du groupe. Mais, peu de temps après, elle a succombé aux coups de cornes d'un taureau et le spectacle s'est poursuivi normalement. Renseignement pris, cette femme s'appelait Blandine. ▦

NE RESTEZ PAS LE VENTRE CREUX !

Dans l'amphithéâtre Septimus Caïus, le célèbre traiteur de la via Claudia vous propose des petits pains, olives, fromages de chèvre et saucissons gaulois. Un verre de vin de Campanie sera offert pour tout achat de petits pains garnis.

DE ROME

●●

NOTEZ SUR VOS TABLETTES !

La course de chars prévue dans trois jours au cirque de Maxence, sur la voie Appienne, aura finalement lieu au Circus Maximus, qui peut accueillir plus de spectateurs. Le programme est chargé : en plus des courses habituelles, avec les équipes bien connues les Bleus, les Verts, les Blancs et les Rouges, vous pourrez assister à une exceptionnelle course de chars à six chevaux. Les noms des conducteurs ne seront donnés qu'au début du spectacle. Le tirage au sort des places de départ se fera en présence de l'empereur, rentré depuis peu de Grèce. ■

OFFRES D'EMPLOI

IMPRÉSARIO cherche hommes forts, courageux. Nourris, logés, formation des gladiateurs assurée, primes. ■

CANDIDATS AUX ÉLECTIONS !

Pour vous protéger de vos concurrents pendant votre campagne, pour montrer à tous votre fortune et votre force, louez des gladiateurs ! L'école de Rufus l'Africain vous propose des hommes forts, disciplinés et impressionnants à des prix défiant toute concurrence. ■

GENS DU SPECTACLE

On cherche jongleurs, acrobates, musiciens, dont un joueur d'orgue pour spectacle en plein air dans l'amphithéâtre. Déplacements à prévoir dans toute l'Italie. ■

D'une coutume ordinaire à un spectacle extraordinaire

Dans beaucoup de civilisations, on a honoré les morts en organisant des combats près de leur tombe. Mais les Romains sont les seuls à avoir transformé cette cérémonie en spectacle : les combats de gladiateurs.

Cave canem

C'est une inscription latine qui signifie « *Attention au chien* ». On la trouve souvent à la porte des maisons romaines. Mais, dès l'époque étrusque, on trouvait dans l'arène des chiens très méchants dressés pour combattre et tuer les gladiateurs.

Tombe étrusque reconstituée.

Un peu de sang pour les morts

À l'époque des Étrusques, dont la civilisation a précédé celle des Romains, les défunts étaient honorés par des combats devant leur tombe. C'était probablement, au début, des duels improvisés et « pour de faux ». Mais, si du sang était versé, on pensait que cela redonnait un peu d'énergie au mort.

Professionnels des pompes funèbres

Petit à petit, il y eut des gens pour exprimer la douleur – les pleureuses – ou pour combattre. Ces porteurs de glaive, ou gladiateurs, spécialistes des combats d'enterrements, allaient de funérailles en funérailles en présentant ce qui était déjà un spectacle, et la famille du défunt payait leurs services.

Mon père est mort... Votez pour moi !

Mais bientôt, à Rome, les enterrements des nobles se transformèrent en campagnes électorales. Tous les gens de la région étaient invités et l'héritier offrait un grand banquet et un spectacle de gladiateurs pour être populaire et être choisi pour une haute charge. Si la date de l'enterrement était éloignée de celle des élections, on retardait le banquet et le spectacle jusqu'à la date de la prochaine campagne électorale. Petit à petit, tout le monde a oublié l'origine des combats, devenus de simples spectacles.

Réjouir les dieux, réjouir les hommes

Au début de la civilisation romaine, les courses de chars étaient des cérémonies religieuses offertes aux dieux protecteurs de la ville. Elles devinrent des spectacles que l'État offrait au moment des grandes fêtes, à dates régulières, tandis que les combats de gladiateurs, offerts par des mécènes, pouvaient avoir lieu n'importe quand.

Il ne faut pas faire n'importe quoi !

Seuls les combats entre hommes volontaires ont du succès. Les spectateurs trouvent ridicules les combats entre nains ou entre femmes.

Un gladiateur en bronze équipé comme un Samnite : on voit bien qu'il est solidement armé.

Se ruiner pour offrir des jeux

Un spectacle coûte très cher. L'homme politique qui l'offre au peuple pour se faire bien voir dépense parfois toute sa fortune. S'il est élu, il peut espérer gagner beaucoup d'argent et être riche de nouveau. Mais s'il est battu... le voilà ruiné, et sa femme et ses enfants le quittent !

Comment on devient un professionnel

Il ne faut pas croire que les gladiateurs ou les conducteurs de chars étaient des esclaves qu'on sacrifiait juste pour le spectacle. Le plus souvent, c'étaient des hommes libres…, mais pas n'importe lesquels !

Honneur au bandit courageux

Quand un tribunal romain avait à juger, pour un crime grave, un homme fort et casse-cou, il lui proposait souvent le métier de gladiateur. Il échappait à la mort immédiate et, avec beaucoup de chance, il pouvait devenir célèbre, prendre sa retraite et mourir… dans son lit !

Engagez-vous, rengagez-vous !

Le métier de gladiateur attirait des jeunes gens qui cherchaient la gloire, aimaient la bagarre ou avaient un chagrin d'amour. C'étaient souvent des marginaux, qui allaient voir un entrepreneur de spectacles. Ils étaient liés par un contrat qui autorisait l'imprésario à les fouetter et même à les brûler au fer rouge. Exceptionnellement, de jeunes nobles sont devenus gladiateurs, mais ils ont renoncé à leur noblesse pour combattre dans l'arène.

Enfin libre !

Un esclave pouvait demander à son maître de devenir gladiateur. En général, le maître était content de vendre très cher un esclave et de se débarrasser d'un individu souvent bagarreur et indiscipliné. L'esclave, de son côté, pouvait espérer

Un recrutement international

Pour la seule école de gladiateurs de Nîmes, il y a des élèves venus de Lyon, d'Autun, de Grèce, d'Espagne, d'Arabie et d'Égypte. Les gladiateurs s'achetaient, comme maintenant des chevaux de course… ou des joueurs de football !

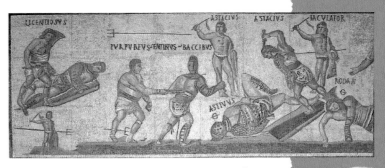

L'entraînement dans les écoles ressemblait beaucoup aux vrais combats, comme ceux de cette mosaïque.

l'argent, la gloire et même la liberté. Ou bien il devenait garde du corps et homme de main. Au IVe siècle apr. J.-C., un pape engagea des gladiateurs pour lutter contre son ennemi : il y eut 167 morts dans la bagarre. Mais pour certains esclaves cette vie valait mieux que les épuisants travaux des champs.

Un métier qui s'apprend

Il y a des écoles de gladiateurs, des casernes, situées en général près des arènes, où l'on apprend à se battre. L'imprésario loge et nourrit bien ses gladiateurs : ils doivent être en forme pour le combat. La discipline est très sévère et les instructeurs sont souvent d'anciens gladiateurs. On sait qu'il y avait des écoles à Draguignan, Nîmes, Narbonne, Lyon, Autun.

Mourir en beauté

« Un gladiateur ne pleure pas [...], il reste ferme, il tend sa gorge sans faiblesse. On n'en a jamais vu qui, quand on leur commande de se laisser égorger, aient essayé de dérober leur cou. Voilà ce que permettent la préparation morale, l'habitude. » Cicéron, Ier siècle av. J.-C.

Toute une organisation !

Autour des gladiateurs, dans l'arène, que de monde ! Il y a des soigneurs, des musiciens, des arbitres avec une tunique à manches longues décorées de deux bandes pourpres, une baguette à la main, et des porteurs de civières. L'imprésario est là pour surveiller tout le monde.

Il faut varier le spectacle

L'Empire romain est immense. On y trouve toutes sortes de façons de combattre. Les combats de gladiateurs représentent bien tous les peuples et les pays devenus romains.

Un casque de Thrace en bronze. Tu peux le voir au musée du Louvre (Paris).

Imiter ses ennemis

En combattant les peuples d'Italie, d'Espagne, de Gaule ou d'Orient, les Romains ont appris à utiliser de nouvelles armes pour la guerre ou les combats de gladiateurs. Ceux qui se battaient comme les Samnites, peuple de l'Italie centrale, portaient un bouclier, une jambière sur la jambe gauche, un protège-bras à droite, un glaive et parfois une lance. C'est en Espagne que les Romains ont découvert le glaive court et très efficace qui a donné son nom aux gladiateurs.

On n'arrête pas le progrès

Venu de la lointaine Thrace, en Orient, l'armement d'autres gladiateurs comportait un bouclier carré, un sabre court à lame recourbée, des protections pour les jambes et un casque à visière. De Gaule vient le mirmillon, qui porte un poisson sur son casque ; c'est le rétiaire qui doit l'attraper dans son filet avant de le transpercer de son trident. D'autres gladiateurs doivent étrangler leur adversaire avec un lasso.

Des Gaulois célèbres

Bien avant Astérix, des gladiateurs gaulois ont eu leur heure de gloire. On trouve leurs noms sur leurs tombeaux : *Ursus* (fort comme un ours), *Fulgur* (la foudre) ou *Felix* (le veinard).

Le modèle militaire

Dans l'arène, on peut aussi voir des gladiateurs armés comme les soldats, par exemple avec un javelot, ou d'autres qui combattent à cheval comme la cavalerie, ou du haut d'un char. Mais il y a des noms de spécialités difficiles à comprendre : le *dimachereus* combattait-il avec deux coutelas ? Le *sagittarius* avec des flèches ? Quant à l'*avidabata*, il se battait peut-être... les yeux bandés !

Dompteurs ? Plutôt chasseurs

On lâche des fauves affamés dans un décor « reconstitué » avec de petites hauteurs, des arbres, des ruisseaux. Les gladiateurs doivent les tuer : ils ont pour cela un fouet, une lance et quelquefois des chiens. Mais il y a aussi des chasses inversées : les fauves poursuivent et dévorent des hommes désarmés qui ne sont pas gladiateurs !

Le gladiateur a gagné...
Le fauve venu d'Afrique
va mourir dans l'arène.
Mosaïque datant de 320 apr. J.-C.

Et les femmes ?

On sait qu'il y a eu des femmes parmi les gladiateurs, en particulier pour combattre du haut d'un char. On connaît le nom de deux« gladiatrices » : *Amazon* et *Achilla*.

Les Romains aiment les règlements !

Un décret du Sénat, à l'époque de l'empereur Marc Aurèle, distingue trois catégories de spectacles de gladiateurs. Pour les moins chers, les dépenses ne devront pas dépasser 5 000 sesterces par gladiateur, c'est-à-dire l'équivalent de quatre ans de salaire pour un soldat romain !

Il y a gladiateur et gladiateur

Les textes romains ne parlent pas beaucoup de l'armement des différentes sortes de gladiateurs. Pour en savoir plus, il faut étudier les mosaïques et les sculptures. On trouve aussi des gladiateurs dessinés sur les lampes à huile découvertes par les archéologues. Pourtant, certaines spécialités sont encore bien mystérieuses.

Contre les fauves

Ce belluaire risque de se faire dévorer. Il a perdu son petit trident, mais sa lance n'est pas cassée... il peut essayer de transpercer le fauve.

Un fouet lasso

Qui va gagner ? Le mirmillon, qui porte sur son casque un poisson, nommé *mormullos*, ou le lanceur de fouet ? Si le fouet s'enroule autour des jambes ou du cou du mirmillon, le *laquearius* gagnera peut-être.

Chacun ses armes

Le rétiaire essaie d'attraper avec son filet (*retia* en latin) l'autre gladiateur. Son adversaire a mis un casque tout simple pour éviter que le filet ne s'y accroche.

À armes égales

Deux combattants appelés Samnites, équipés presque de la même façon. Celui de gauche a un casque de Thrace, plus complet, mais tous les deux ont un bouclier et une épée, courte ou longue.

Entrez dans l'arène

Les combats de gladiateurs existaient bien avant que les Romains soient devenus des bâtisseurs. Mais pour ces spectacles auxquels des milliers de gens voulaient assister, les architectes inventèrent une construction impressionnante : les amphithéâtres étaient si grands et si solides qu'on en voit encore les traces aujourd'hui.

C'est beau ! C'est grand !

Le Colisée mesure 187 mètres sur 155 et il pouvait contenir jusqu'à 100 000 spectateurs. L'amphithéâtre d'Arles, 136 mètres sur 107, et celui de Nîmes, 133 mètres sur 104. Ils pouvaient contenir chacun 30 000 spectateurs.

Le forum à tout faire

Pendant plusieurs siècles, entre 700 av. J.-C. et l'époque de Jules César (50 av. J.-C.), les spectacles de gladiateurs ont eu lieu sur le forum, la grande place publique des villes romaines. On construit des gradins en bois que l'on démonte après la représentation. C'est long, coûteux, et les gens placés aux deux bouts de ce grand rectangle ne voient pas grand-chose.

Les spectateurs romains, eux, n'ont jamais vu ça : les dessous du Colisée !

On va faire mieux !

Les premiers amphithéâtres « en dur » sont creusés dans la roche, ou bien s'appuient sur la pente d'une colline, comme celui de Pompéi, construit de 70 à 65 av. J.-C. Bientôt, on va faire des amphithéâtres-monuments, qui se dressent dans les villes ou dans la proche banlieue et peuvent accueillir jusqu'à 50 000 spectateurs. La forme en ellipse permet à tout le monde de bien voir.

Il y a de la place pour tout le monde

Pour arriver dans les gradins, on passe par des escaliers et des couloirs : les vomitoires. Les gradins du bas sont réservés aux gens importants, ceux tout à fait en haut aux plus pauvres, et les rangs intermédiaires aux catégories moyennes ; de plus, les couloirs d'accès sont différents. Sous les gradins, il y a des pièces où les gladiateurs se préparent, des cages pour les fauves et même une chambre pour entreposer les morts.

De vraies batailles navales : les naumachies

Pour des fêtes exceptionnelles, on reconstituait dans des bassins de vraies batailles navales. En 80 apr. J.-C., l'empereur Titus, pour inaugurer le Colisée, fit remplir l'arène d'eau, et les spectateurs purent y voir un vrai combat entre bateaux. Plus tard, on construisit des salles souterraines sous l'arène... Plus question de remplir d'eau le Colisée !

Les naumachies étaient rares...
Mais quinze siècles plus tard un dessinateur
en rêve encore et les imagine !
(Gravure du XVIe siècle)

C'est gratuit

La place que l'on occupe sur les gradins ne dépend pas du prix du billet, comme dans les théâtres de nos jours. Tout est gratuit, puisque c'est un mécène qui offre le spectacle. On est même à l'abri du soleil grâce à une toile (*velum*) tendue au-dessus des spectateurs.

Une catastrophe au Ier siècle av. J.-C.

« À Fidènes, près de Rome, un certain Attilius avait construit un amphithéâtre pour donner un spectacle de gladiateurs [...] Il ne fit pas de fondations et ne fixa pas la charpente solidement, faute d'argent. Des gens accoururent en foule pour le spectacle. La construction était bondée quand elle s'écroula [...]. 50 000 personnes furent tuées ou blessées... »

Tacite, historien romain (55-120 apr. J.-C.).

Demandez le programme !

L'écrivain romain Juvénal, au IIᵉ siècle apr. J.-C., écrit que « *le peuple désire seulement du pain et des jeux* » (*panem et circenses*). Il exagère sûrement, mais, pendant les spectacles gratuits offerts dans l'amphithéâtre ou le cirque, les pauvres oubliaient un peu leur misère.

500 deniers par léopard !

Le mécène paie bien les faux chasseurs de l'amphithéâtre et donne un sac d'argent par fauve tué. Il orne parfois sa maison d'une mosaïque avec le chasseur victorieux.

L'arbitre surveille le combat entre un rétiaire (à gauche) et un Gaulois (à droite).

Ça commence tôt !

Longtemps à l'avance, les dates du spectacle et les participants sont annoncés sur les murs et par un crieur public.

Le soir qui précède le spectacle, un grand repas est offert aux gladiateurs. Tout le monde peut venir les voir manger, admirer leurs muscles, parier sur les combattants et imaginer ce qui va se passer le lendemain !

Le matin du grand jour

C'est le moment où l'on présente des chasses ou des combats d'animaux sauvages. On peut aussi voir des animaux rares, des démonstrations d'ours savants et des chasses pour rire, où des nains poursuivent des lièvres ou des lapins. Parfois, c'est beaucoup moins drôle, par exemple lorsqu'un condamné à mort joue le rôle d'Orphée dévoré par des bêtes sauvages... et meurt pour de bon.

Le clou du spectacle

L'après-midi, on se précipite, et même on se bat, pour avoir les meilleures places. C'est plus facile si on appartient à une association qui a ses gradins réservés (les jeunes, les marchands d'huîtres, les bouchers ou les bateliers...). Le mécène et les notables, comme le préteur sont en bas des gradins, sur un podium, bien

Dans cette scène imaginaire, un peintre du XIXᵉ siècle a représenté deux frères qui ont été empereurs en même temps : Caracalla et Geta.

protégés par un mur ou un grillage qui les sépare de l'arène. Tout le monde assiste au défilé des gladiateurs en tenue de parade (la *pompa*), au son d'un orchestre qui joue pendant tout le spectacle.

Faire durer le plaisir

Il y a d'abord des combats d'échauffement où l'on ne prend pas de risques. Puis le mécène vérifie la qualité et le tranchant des armes. C'est sans doute lui qui désigne les paires de gladiateurs. Ainsi il ne peut pas y avoir d'arrangements avant le combat ! Il faut choisir des combattants de force, d'armes et d'expérience à peu près égales, ainsi le combat, plus long, devient plus intéressant !

Vive l'empereur !

Quand l'empereur offre le spectacle, il lance un mouchoir blanc dans l'arène pour donner le signal des combats. Mais il faut qu'il reste jusqu'à la fin pour montrer qu'il partage les goûts de son peuple... Sinon, le public proteste.

« À boire et à manger »

Pendant les pauses du spectacle, on peut manger le pique-nique que l'on a apporté, ou acheter aux marchands ambulants des plats tout préparés et des boissons. Mais il arrive que le mécène offre aussi de quoi se restaurer. Distraction et repas gratuits ! De quoi voter pour lui.

Et si on allait au cirque ?

Maquette du *Circus Maximus*, il mesurait en vrai 645 mètres de long sur 124 de large.

Ne pas confondre ! L'amphithéâtre, c'est pour les gladiateurs, et le cirque pour d'autres jeux, et surtout pour les courses de chevaux. Dans les deux il y a du sable (*arena*), mais le spectacle est bien différent.

Tout a commencé dans la boue

Le premier endroit où eurent lieu les courses de chevaux et de chars fut la partie basse de la ville de Rome. Elle était humide et boueuse : on se faisait moins mal en tombant ! Puis on a construit une longue piste, terminée par deux arrondis et entourée de gradins sur trois côtés. Le *Circus Maximus*, construit sous Jules César, pouvait contenir 150 000 spectateurs. Les gradins supérieurs étaient en bois, avec des boutiques : c'est là que commença le grand incendie qui dévasta Rome en 64 apr. J.-C., à l'époque de l'empereur Néron.

Des chevaux célèbres

Les conducteurs de chars ne sont pas les seuls héros de la fête. La foule applaudit aussi des chevaux qui ont souvent gagné, et connaît leur nom : *Victor*, qui signifie le victorieux, ou encore *Calimorfus*, le très beau.

Un parcours bien balisé

L'arène du cirque est partagée en deux, dans le sens de la longueur, par un mur, la *spina*, décoré de petites chapelles pour les dieux, de statues, d'obélisques. Sept piliers, ou statues, indiquent le nombre de tours qui restent à courir : on en abaisse un à chaque passage. Au bout du cirque on trouve deux portes : celle des vainqueurs et celle des morts.

Le grand moment, c'est la course de chars

Le spectacle est varié, mais ce que tout le monde attend, c'est la course de chars à deux chevaux (les biges) ou, plus souvent, à quatre chevaux (les quadriges). Le plus difficile est de tourner en bout de piste, autour des bornes (les *metae*). Comme la course se déroule en sens inverse des aiguilles d'une montre, la borne est à gauche de l'aurige. Il faut mettre le meilleur cheval à gauche et passer le plus près possible de la borne.

Des courses... presque tous les jours !

Au début de l'histoire de Rome, les jeux du cirque ont lieu en l'honneur des dieux : *Ludi Maximi* pour Jupiter, *Ludi Megalenses* pour Cybèle, mère des dieux et protectrice des courses de chars ; *Ludi Apolinares* pour Apollon. Puis on ajoute les jeux pour le peuple : *Ludi Plebei*, et ainsi de suite... Les jeux durent de plus en plus longtemps : un jour, neuf jours et même... quinze jours ! Finalement, il y a des courses la moitié de l'année !

La pool position

La meilleure place pour partir, c'est celle de gauche. C'est pourquoi les places de départ sont tirées au sort. Mais après, tout est permis !

La déesse Cybèle. C'est au printemps qu'on lui offre des jeux à partir du Ier siècle av. J.-C. Mais c'est à Jupiter, le roi des dieux, que les jeux les plus importants sont offerts !

Allez les Bleus !

Les équipages sont d'abord divisés en deux écuries : la Rouge et la Blanche, puis en quatre sous le règne d'Auguste (de 27 av. J.-C. à 14 apr. J.-C.), qui ajoute la Verte et la Bleue. Les spectateurs parient sur une équipe. Et il y a souvent des bagarres entre les supporters. Les cochers passent d'une écurie à l'autre : « *Marcus a remporté la palme 655 fois avec les Rouges, 55 fois avec les Verts, 12 fois avec les Bleus, 17 fois avec les Blancs* . » Épitaphe d'un cocher.

Publicité et politique

Les jeux du cirque ou de l'amphithéâtre ne sont pas seulement des amusements. Les commerçants, les hommes politiques, les empereurs s'en servent pour plaire aux gens et imposer les manières de vivre et de gouverner des Romains.

Le tribun des voluptés

Au IVᵉ siècle, il y a à Carthage, Rome et Milan un « tribun des voluptés ». C'est un fonctionnaire chargé du contrôle des spectacles et, en même temps, de la masse du peuple des villes...

Terentino Neo et sa femme. Sur cette fresque, ils ont leur tenue quotidienne. Mais, lorsqu'ils se rendent à l'amphithéâtre, ils mettent leurs plus beaux vêtements et ils ont droit aux meilleurs gradins.

Venez voir mon spectacle !

Plusieurs jours avant le spectacle, des crieurs l'annoncent dans les rues avec le nom du mécène. Puis on distribue des programmes, les *libelli*, où on peut lire le nom des gladiateurs et celui de l'imprésario : « *Vingt paires de chasseurs et de gladiateurs combattront à Pompéi, les nones, le huitième jour, le septième jour avant les ides de novembre* [4, 5, 6 et 7 novembre]. »

Venez vous montrer

Les gens riches, aux premières places et dans les loges, viennent montrer leurs toilettes, leurs bijoux, leurs coiffures et leurs nombreux serviteurs : « *Pour assister aux jeux, Ogulnia loue une robe, une escorte, une litière, un coussin, des amies, une nourrice, une petite bonne blonde pour les commissions. Ce qui ne l'empêche pas de donner aux athlètes tout ce qui lui reste de son héritage* » (Juvénal, Iᵉʳ siècle apr. J.-C.).

Le politique est dans l'arène

À Rome et dans l'Empire romain, beaucoup de gens n'ont pas de travail puisqu'il y a beaucoup d'esclaves. Mais ils sont pauvres.

L'empereur fait distribuer des vivres et offre des jeux : il vaut mieux qu'on se batte entre supporters, dans les gradins, que dans la rue, contre l'empereur. On a écrit à propos de l'empereur Trajan (98-117 apr. J.-C.) : « *Sa sagesse n'a jamais manqué de prêter attention aux vedettes de la scène, du cirque et de l'arène, parce qu'il savait bien que l'excellence d'un gouvernement se révèle dans l'organisation des amusements comme dans les questions sérieuses* » (Dion Cassius, IIe siècle apr. J.-C.).

Tout autour de la Méditerranée

Dans tout l'Empire, on fait construire des cirques et des amphithéâtres, depuis le nord de l'Angleterre actuelle jusqu'au Moyen-Orient ou en Afrique du Nord. Les empereurs soutiennent parfois les Verts, plus populaires, contre les Bleus, qui représentent davantage les riches. Les jeux leur permettent d'augmenter leur pouvoir en s'appuyant directement sur le peuple, et pas seulement en Italie.

Se distraire et ne pas penser

À Rome, il y a des jeux presque toute l'année, et il ne reste que très peu de jours autorisés pour les assemblées de citoyens. Les empereurs, même les plus remarquables, comme Auguste, Trajan ou Marc Aurèle, et les hommes politiques évitent ainsi que les Romains discutent entre eux, les critiquent ou même se révoltent.

Peint sur un mur de Pompéi

À propos d'un spectacle dans l'amphithéâtre : « *Il y aura des pulvérisations d'eau parfumée et des toiles tendues au-dessus des gradins.* » Voilà qui donne envie d'y aller !

L'empereur Auguste

L'empereur Trajan

L'empereur Marc Aurèle

Condamnés aux jeux

L'empereur Auguste a essayé d'introduire à Rome des jeux uniquement sportifs. Un peu plus tard, Néron organisa des jeux athlétiques et poétiques. Mais ces tentatives n'eurent aucun succès. Il faut du sang dans l'arène !

Sur ce bas-relief en terre cuite, on voit une *venatio*, une chasse dans l'amphithéâtre... très simplifiée !

Un gladiateur..., c'est cher !

On peut acheter ou louer un gladiateur. Il faut ensuite bien le nourrir et l'équiper. S'il est tué, c'est une grosse perte financière. On a un gladiateur de moins, ou bien il faut le rembourser à l'imprésario auquel on l'a loué. Heureusement, il y a des combattants gratuits !

« Je peux faire n'importe quoi à n'importe qui ! »

C'est ce que dit l'empereur fou Caligula au début de son règne, en 37 apr. J.-C. Un jour, il décide de jeter aux fauves tous les prisonniers chauves... pour rire !

Des condamnés utiles

À la place des travaux forcés ou de la peine de mort, le juge peut proposer les combats dans l'arène ou les chasses. S'il accepte, le condamné a droit à un entraînement... pour que le combat soit plus intéressant. S'il survit, il peut être libéré, mais ce n'est pas toujours le cas. Jusqu'à l'empereur Hadrien (117-138 apr. J.-C.), un maître peut obliger un esclave à devenir gladiateur, après cette date, il faut que l'esclave soit d'accord.

Ceux qui ne veulent pas accepter la religion romaine : les juifs...

Ils n'ont qu'un seul dieu et refusent de faire des sacrifices aux dieux romains et à l'empereur. En 40 apr. J.-C., par exemple, à Alexandrie, la première partie d'un spectacle montre des juifs qu'on torture, qui subissent le supplice de la roue (qui consiste à briser les membres d'un condamné attaché sur une roue) et qu'on pend.

... et les chrétiens

Comme les juifs, les chrétiens n'ont qu'un dieu, et ils ne veulent pas que les Romains en fassent un dieu de plus parmi beaucoup d'autres. Ils ne sont donc pas considérés par les Romains comme des citoyens normaux. À Lyon, en 177 apr. J.-C., 48 chrétiens sont martyrisés... Mais il y eut d'autres périodes de persécution. Ce n'est qu'en 313 que l'empereur Constantin autorisa les chrétiens à pratiquer leur religion.

Les Chrétiens jetés aux bêtes, tableau peint au XIXᵉ siècle. Quelle imagination !

Combien de martyrs ?

Personne ne sait combien de chrétiens sont morts dans l'arène. Certains empereurs ou gouverneurs de province ont été généreux et d'autres au contraire très cruels. Mais il y a eu sans doute moins de victimes que ce que l'on a raconté après.

Tout le monde n'apprécie pas

On raconte que le petit Caracalla, futur empereur, emmené à l'amphithéâtre par son père, l'empereur Septime Sévère (193-211 apr. J.-C.), se mit à pleurer en entendant les hurlements d'un condamné dévoré par un tigre. Quant au très sage empereur Marc Aurèle (161-180 apr. J.-C.), il n'allait pas souvent aux jeux, il trouvait que c'était ennuyeux. Il écrit dans son journal intime :
« *C'est toujours un peu la même chose.* »

Mourir jeune, mais libre

Les historiens pensent que les gladiateurs n'ont jamais prononcé cette phrase : « *Morituri te salutant* », tournés vers l'empereur. Mais les combattants savaient certainement que beaucoup d'entre eux allaient mourir.

Pas toujours envie de mourir !

Il y a parfois des gladiateurs qui se battent mal ou qui n'acceptent pas de mourir dignement. Ils ne respectent pas la règle du jeu. Mais c'est rare.

Sur ce tableau peint en 1874, Jean Léon Gérôme a représenté le moment où le sort du gladiateur vaincu se décide. Le titre qu'il lui a donné est pessimiste : *Pollice verso* (« *Le pouce en bas* »).

De plus en plus de risques

À l'époque de l'empereur Auguste, Ier siècle apr. J.-C., un gladiateur peut espérer vivre jusqu'à son dixième combat. Cent cinquante ans plus tard, les gladiateurs sont tués à leur troisième ou quatrième combat. En 249 apr. J.-C., un mécène a offert quatre jours de spectacle avec 22 combattants ; il était très fier d'en avoir fait tuer... 11. Ça lui a coûté très cher pour les remplacer !

Le pouce en bas

Un gladiateur ne meurt pas comme dans un duel ou un tournoi. La plupart du temps, il meurt parce qu'il a demandé l'arrêt du combat en levant un doigt. Son adversaire se tourne vers le mécène, qui écoute les cris de la foule. Si les spectateurs mettent leur pouce en bas et crient « *Jugula* » (« *Égorge-le !* »), le vainqueur égorge l'autre. Le public vient pour avoir le plaisir de sauver un homme ou d'ordonner sa mort.

Tous les coups sont permis

On meurt aussi beaucoup au cirque. Les auriges sont protégés

© Jaap Buitendijk

Les gladiateurs revus par le XXᵉ siècle : le film de Ridley Scott, *Gladiator* (2000), malgré quelques erreurs historiques, donne vraiment l'impression d'assister au spectacle et de vivre à Rome à la fin du IIᵉ siècle apr. J.-C.

par des courroies en cuir autour de la poitrine, des jambières et un casque, mais, en essayant de doubler, ou de passer trop près des bornes, ils peuvent heurter un autre char ou le mur central : l'essieu se casse et ils sont entraînés dans la chute, écrasés et piétinés, sauf s'ils ont le temps de couper avec un petit poignard les rênes qu'ils ont passées autour de leur taille.

Le cirque, c'est l'image de la vie et de la mort

Pour certains Romains, l'arène représente la terre ; le fossé plein d'eau qui entoure le cirque, l'euripe, c'est la mer ; et l'obélisque au bout de la *spina*, le ciel. La course de chars, c'est un peu comme la vie. C'est aussi là que l'empereur peut rencontrer directement le peuple et connaître ses réactions. La vie politique se joue parfois pendant la course.

Et la nuit ?

Dans quelques grandes occasions, il y a eu des jeux nocturnes dans le cirque, éclairé par des torches et des flambeaux... Mais c'était très rare.

Le souvenir des héros

On a retrouvé les épitaphes de gladiateurs, ou d'auriges. On les considérait parfois comme des citoyens respectables, et même admirables, qui avaient choisi un métier à risques, comme certains métiers d'aujourd'hui. Ils avaient accepté le contrat et leur famille avait reçu une forte somme à leur mort.

Entre mépris et admiration

Dans le monde romain, il y a eu au moins 200 amphithéâtres : c'est un peu moins que le nombre de théâtres, et beaucoup plus que le nombre de cirques. Pendant huit siècles, à peu près, de 400 av. J.-C. à 400 apr. J.-C., les spectacles de gladiateurs ont eu un énorme succès.

Un nom qui veut tout dire

À l'origine, le mot *lanista* (imprésario de gladiateurs) signifie « boucher ». On comprend qu'un *lanista* de Nîmes ait préféré se dire marchand de gladiateurs.

Sacrifiés... et rejetés

Un gladiateur, même né libre, entre dans la catégorie des infâmes (de mauvaise réputation), des « sans-honneur ». Il perd ses droits de citoyen. Il est à la fois un assassin, une victime, quelqu'un qui a accepté de mourir, et pour tout cela il porte malheur, comme les chauves-souris. On l'enterre dans un coin à part, avec les comédiens, les prostituées et ceux qui se sont suicidés par pendaison.

Un danger pour les spectateurs ?

Personne n'a pitié des gladiateurs, mais certains philosophes, comme Sénèque, ont peur qu'ils ne donnent le mauvais exemple et que les spectateurs n'aient envie à leur tour d'assassiner quelqu'un. Un peu comme nous avons peur que la

Russel Crowe interprète Maximus dans le film *Gladiator*.

© Jaap Butendi JK

violence à la télévision ou au cinéma soit contagieuse. « *Je suis tombé par hasard sur le spectacle de midi* [...]*, ce sont de purs assassinats ; ils n'ont rien pour se protéger* [...]*, la foule préfère cela* » (Sénèque, 1er siècle av. J.-C.).

Mosaïque à la gloire du gladiateur dans la maison du mécène.

Des supporters enthousiastes

Mais les gladiateurs sont aussi des héros. On a trouvé sur les murs d'amphithéâtres des graffitis à la gloire de quelques vedettes, par exemple à Pompéi : « *Celadus, que les jeunes filles admirent* ». Ou bien, sur des mosaïques en Tunisie, des slogans pour ou contre des équipes de chasseurs : « *Vive les Leontii* », « *À bas les Taurisci* ».

Gladiateurs... on vous aime !

Les spectacles sont pour certains une école de courage, pour les empereurs un moyen de répandre le modèle romain. Les femmes admirent les gladiateurs, et le poète Juvénal est choqué que celles de la haute société soient séduites par ces infâmes.

Secret d'imprésario

Les gladiateurs étaient nourris pour grossir : ils devenaient plus forts, mais surtout leurs bourrelets de graisse les protégeaient un peu contre les blessures graves.

Les meilleures choses ont une fin

Quand l'Empire romain est devenu chrétien, le théâtre, souvent vulgaire et grossier, a été beaucoup plus critiqué que les combats de gladiateurs. Ces spectacles ont disparu petit à petit : ils étaient trop chers et les empereurs chrétiens voulaient protéger leurs sujets. C'était un péché de regarder mourir par plaisir puisque Dieu a dit : « *Tu ne tueras point.* » Les courses de chars, où il n'y avait pas de meurtres mais des accidents, elles, ont continué encore longtemps.

Le gladiateur qui fit peur aux Romains

Des révoltes d'esclaves, ce n'est pas nouveau. Déjà en 139 et en 104 av. J.-C., des esclaves se sont révoltés et les Romains ont eu du mal à gagner ces deux guerres « serviles ». Mais, en 73 av. J.-C., il y a une grande différence : Spartacus, leur chef, n'est pas un esclave comme les autres, il va devenir un héros.

Sur cette gravure, Spartacus est représenté en héros... du XIXᵉ siècle, avec barbe et moustache. En réalité, personne ne sait à quoi il ressemblait.

Spartacus, l'homme venu de loin

Il est né en Thrace, au nord de la Grèce actuelle. Pris de force dans l'armée romaine, il déserte ; on le reprend et il est vendu comme esclave à Rome. Un *lanista* (imprésario) l'achète pour sa grande école de gladiateurs, installée près de Naples. Une magicienne, qui sait interpréter les rêves et vient de Thrace comme lui, l'accompagne, et les autres gladiateurs sont très impressionnés.

Une armée d'esclaves et de paysans

Pendant l'été 73 av. J.-C., 70 gladiateurs de l'école se révoltent. Ils ont trois chefs : deux Gaulois, Genomaus et Crixos, et Spartacus le Thrace. Ils s'emparent d'un convoi d'armes destiné aux gladiateurs et, dans les campagnes qu'ils traversent, beaucoup d'esclaves les suivent, mais aussi des hommes libres, petits paysans ruinés et ouvriers agricoles. Au début de l'année 72 av. J.-C., ils sont 70 000 ; et, l'été suivant, 120 000.

Les Romains battus par leurs esclaves

Spartacus a beaucoup appris pendant son séjour dans l'armée romaine. Il est courageux, calme, juste avec ses soldats et très intelligent. Il bat plusieurs fois les troupes romaines envoyées contre lui. Il est vrai que les Romains trouvent indigne d'eux de se battre contre de misérables esclaves qu'ils méprisent et qui ne rapportent aucun butin.

La gloire du vaincu

Pourtant, en 71 av. J.-C., Spartacus devenu le seul chef après la mort des deux chefs Gaulois, ne réussit pas à passer en Sicile avec ses compagnons. Bloqué dans le sud de l'Italie, il livre son dernier combat. Blessé à la cuisse, il continue à se battre à genoux et meurt percé de coups. Son cadavre reste anonyme au milieu de ceux de ses 60 000 « esclaves-soldats ». « *C'est en vrai général qu'il trouva la mort* », écrit un historien romain deux siècles plus tard. Spartacus devient le symbole de la lutte pour la liberté.

Kirk Douglas incarne Spartacus dans le film de Stanley Kubrick.

Les armes des esclaves

Au début, ce sont les glaives pris aux gardiens et les broches à rôtir saisies dans les cuisines de la caserne des gladiateurs. Bientôt, il y a les armes gagnées sur les champs de bataille, mais aussi les épées forgées avec les chaînes que les esclaves portaient aux pieds.

Chacun son tour

Quand son compagnon gaulois, Crixos, est tué, Spartacus organise des jeux funèbres. Mais cette fois ce sont 300 prisonniers romains qui doivent combattre comme des gladiateurs. Et les spectateurs sont leurs anciens esclaves.

Quiz

Maintenant que tu as lu cet « Essentiel Milan Junior », qu'en as-tu retenu ? Pour le savoir, réponds aux questions suivantes :

Attention, parfois plusieurs réponses sont possibles.

1 Dans les courses de chars, il y avait en général :

A 4 équipes.
B 5 équipes.
C 10 équipes.

2 Un gladiateur professionnel :

A se faisait engager directement par l'empereur.
B quittait le métier quand il voulait.
C avait un contrat de cinq ans avec un imprésario.

3 Les gladiateurs étaient :

A tous des esclaves.
B tous des hommes libres.
C des esclaves ou des hommes libres.

4 Au début de l'histoire romaine, les gladiateurs combattaient :

A à l'occasion des mariages.
B à l'occasion des enterrements.
C pour s'amuser.

5 Les armes des gladiateurs :

A venaient de plusieurs provinces de l'Empire.
B étaient seulement celles des soldats romains.
C étaient les mêmes pour tous les gladiateurs.

6 Cave canem veut dire :

A « Descendez à la cave ».
B « Attention au chien ».
C « Attention aux canards ».

7 Un gladiateur apprenait son métier :

A dans des écoles de gladiateurs.
B en se battant dans la rue.
C dans sa famille, de père en fils.

8 Felix, c'est le surnom donné à :

A un gladiateur qui avait un chat.
B un gladiateur Thrace.
C un gladiateur Gaulois.

9 Les combats de gladiateurs ont d'abord eu lieu :

A dans des temples.
B sur le forum.
C dans des grottes.

10 Les amphithéâtres étaient :

A parfaitement ronds.
B en ellipse.
C en forme de rectangle allongé.

11 Dans l'amphithéâtre, les spectacles de chasse avaient lieu :

A le matin.

B quand les combats de gladiateurs étaient finis.

C entre deux combats de gladiateurs.

12 L'empereur donne le signal des combats :

A en frappant dans ses mains.

B en lançant un mouchoir blanc dans l'arène.

C en criant « *Partez !* » dans un porte-voix.

13 Le *Circus Maximus* à Rome pouvait contenir :

A 25 000 spectateurs.

B 150 000 spectateurs.

C 300 000 spectateurs.

14 Les femmes de la haute société :

A n'avaient pas le droit d'assister aux jeux.

B assistaient au spectacle aux premières places et dans des loges.

C venaient aussi au spectacle pour se faire voir.

15 À Rome, à l'époque de l'Empire, il y avait des courses de chars :

A pendant presque 200 jours par an.

B seulement quand un général gagnait une bataille.

C seulement de temps en temps.

16 Les empereurs se servaient des spectacles :

A pour augmenter leur popularité.

B pour surveiller l'opinion des gens.

C pour que les gens ne pensent pas à faire de politique.

17 L'empereur qui a interdit qu'un maître oblige un esclave à être gladiateur, c'est :

A Auguste.

B Caligula.

C Hadrien.

18 Ceux qui n'obéissaient qu'à un Dieu unique étaient :

A les Grecs.

B les juifs.

C les chrétiens.

19 Pour demander la mort d'un gladiateur vaincu le public criait :

A « *À bas l'arbitre !* »

B « *Égorge-le !* »

C « *Il a perdu !* »

20 Les gladiateurs étaient enterrés :

A dans un coin à part, avec les comédiens et les suicidés.

B dans les mêmes cimetières que tout le monde.

C sous le sable de l'arène.

Pour t'aider dans ton exposé

Ton professeur t'a demandé de faire un exposé sur les jeux du cirque, ou bien c'est toi qui souhaites présenter ce thème à tes camarades. Voilà ce qu'il ne faut pas oublier.

1 Te demander ce que tes camarades savent déjà

Tu peux, avec l'autorisation du professeur, faire passer un petit questionnaire. Par exemple : où combattaient les gladiateurs ? D'où venaient-ils ? Dans quels films que vous avez vus y a-t-il des gladiateurs ? Connaissez-vous des livres et des BD qui parlent des jeux du cirque ? Avec les réponses, tu pourras faire la liste des erreurs à rectifier, et aussi de ce qui pourra étonner tes copains !

2 Chercher des informations sérieuses

Dans ton manuel d'histoire, dans des encyclopédies, dans des revues (utilise la page « Pour aller plus loin »).

Regarde bien des plans de cirques ou d'amphithéâtres, une carte. Il faut toujours situer les lieux dont tu parles.

Note quelques dates importantes et mets-les en ordre chronologique.

Prévois de rectifier quelques erreurs. Par exemple, dans *Astérix gladiateur*, les courses et les combats de gladiateurs ont lieu au même endroit, et tu sais que c'est inexact. Méfie-toi aussi : dans les BD, les romans ou les films, il y a souvent des choses qui sont vraies. Dans le même Astérix, le patron des gladiateurs est appelé le *lanista*, ce qui est tout à fait exact !

Montrer beaucoup d'images

Il faut que tu les aies bien étudiées avant, pour pouvoir répondre au moins à quelques questions. Il y a toujours un commentaire à côté d'une photo de mosaïque ou d'un plan de cirque. Lis-le attentivement et retiens-le ! N'oublie pas de montrer cartes et plans, et de faire un petit montage photocopié que tes copains pourront mettre dans leur classeur : un plan, une image de gladiateur, une frise si ton exposé parle des changements à travers les siècles.

Rappeler que les Romains ne pensaient pas comme nous !

Nous trouvons cruel ce qu'ils trouvaient normal et nous admirons Spartacus, qui n'était pour eux qu'un esclave dangereux. Tu peux faire des descriptions – sans trop insister sur les détails horribles –, mais ne fais pas trop de commentaires personnels. Évite aussi de comparer les jeux avec nos rencontres sportives ou nos films d'horreur, même s'il y a certaines ressemblances. Et n'oublie pas le rôle de propagande politique des jeux.

Parler latin

N'hésite pas à employer des mots latins, en donnant leur sens et en les écrivant au tableau. « *Morituri te salutant* », « *Pollice verso* », c'est plus impressionnant que « *Ceux qui vont mourir te saluent* » ou « *Pouce en bas* ».

Pour aller plus loin

Il existe peu de livres uniquement sur les gladiateurs, mais tu trouveras dans notre bibliographie beaucoup de livres sur le monde romain et la vie à Rome dans l'Antiquité.

Des livres documentaires

- *Au temps des Romains,* Pierre Forni, coll. « Des enfants dans l'Histoire », Casterman, 1998.

- *Comment vivaient les Romains,* Odile Bombarde et Claude Moatti, coll. « Découvertes Benjamin », Gallimard-Jeunesse, 1986.

- *Copain de l'archéologie : le guide des explorateurs du temps,* Francis Dieulafait, Milan, 1999.

- *L'Histoire mystérieuse du Colisée,* Dominique Françoise et Rhiannon Ash, Piccolia, 1998.

- *Le Monde antique,* Fiona Chandler, Usborne, 2000.

- *Rome la conquérante,* coll. « Les Yeux de la découverte », Gallimard-Jeunesse, 1990.

- *Rome,* coll. « Les Clés de la connaissance », Nathan, 1998.

Atlas historique

- *L'Empire romain,* Mike J. Corbishley, Casterman, 1990.

Des revues

- *Historia,* « Les gladiateurs », n° 643, juillet 2000.

- *Arkeo Junior,* « Les gladiateurs », n° 24, octobre 1996, « Spartacus », n° 54, juin 1999, « Rome antique », n° 63, avril 2000.

Des romans...
à ne pas prendre trop au sérieux !

- *Ben Hur,* Lewis Wallace, Pocket n° 2231, 1992.

- *Caïus et le gladiateur,* Henry Winterfield, coll. « Gai Savoir - Le Livre de poche Jeunesse », Hachette-Jeunesse, 1996.

- *Les Derniers Jours de Pompéi,* E.G. Bulwer-Lytton, coll. « Gai Savoir - Le Livre de poche Jeunesse », Hachette-Jeunesse, 1996.

- *Quo Vadis ?,* Henrik Sienkiewicz, coll. « Gai Savoir - Le Livre de poche Jeunesse », Hachette-Jeunesse, 1996.

Des BD

- *Le Tombeau étrusque* et *Le Fils de Spartacus* (série Alix), de Jacques Martin, Casterman.

- *Astérix gladiateur,* de René Goscinny et Albert Uderzo, Hachette, 1998.

Des films

- *Fabiola,* d'Alessandro Blasetti (1951) : l'histoire d'une Romaine qui se convertit au christianisme.

- *Ben Hur,* de William Wyler (1959) : plusieurs films ce sont inspirés de ce roman ; il y a dans cette version une extraordinaire course de chars.

- *Spartacus,* de Stanley Kubrick (1960) : un grand film pour un héros de la liberté.

- *Gladiator,* de Ridley Scott (2000) : Des décors et des effets spéciaux très impressionnants.

Sortie en vidéo à la vente le 6 mars 2001

Sur Internet

- Site de l'université de Caen : www.unicaen.fr Un site sur la ville de Rome, avec beaucoup de maquettes et de plans.